Dit boek is gepubliceerd door

Cantecleer, Baarn
Postbus 309
3740 AH Baarn

ISBN 90 213 3121 7
NUGI 440

Omslagontwerp: mostremarkable, Almere
Fotografie: Studio Koppelman
Illustraties: Irene van den Bos
Eindredactie: Agathe van Hell
Ontwerp/Vormgeving: mostremarkable (remarkable@mwgroup.nl)
Begeleiding: Olga Dol

**Met dank aan mijn echtgenoot, zonder wiens steun ook dit boek beslist niet tot stand was gekomen en mijn kinderen Tim en Daphne, die bij het maken van dit boek wel eens wat aandacht en tijd tekort zijn gekomen; verder Nelleke Waardenburg, Jozee Peele, Joke van Ginkel, Edith Triepels, Gert Veenhof en Jan en Joke Slot, die mij met veel hulp, raad en daad geholpen hebben, en zonder wie ik niet in staat geweest was om zoveel werk te verzetten. En zeker niet op de laatste plaats alle dank en lof voor Olga Dol, een fantastische vrouw om mee samen te mogen werken!**

Door de auteur van dit boek worden workshops verzorgd in haar eigen, landelijk gelegen, atelier; voor informatie en opgave: 0343-591995 of via de homepage: www.daphnes.nl

Al het laswerk en de gebruikte frames zijn te koop in het atelier van de auteur, evenals alle gebruikte materialen.

# Woord vooraf

Het werken met natuurlijke materialen is en blijft prachtig, iedere keer weer kom je voor nieuwe uitdagingen en verrassingen te staan. De combinaties die je met natuurlijke materialen kunt maken zijn zo veelzijdig. In dit boekje heb ik regelmatig gebruik gemaakt van kant en klare frames van smeedwerk in combinatie met groenproducten, bloemwerk en lood. De effecten die je hiermee bereikt zijn zeker verrassend. Het mooie van het werken met frames in combinatie met lood is dat ze veelal in een handomdraai aan een nieuw seizoen aangepast kunnen worden. Weggooien is er dan ook niet bij! Het herfst- en winterseizoen is bij uitstek een periode om gebruik te maken van alles wat de natuur ons te bieden heeft. In combinatie met kaarslicht en kerstlampjes is een mooi hoekje ook zo gecreëerd. Mijn voorliefde voor servetten komt toch ook in dit tweede boek weer duidelijk naar voren. Niets is zo eenvoudig als een terracotta pot of een houten paneel met een servet omtoveren tot iets heel persoonlijks.

Veel succes
Truike Bron

# Inhoud

# Butlertray en Cookerie

## Nodig butlertray en cookerie

- houten tafeltje
- houten cookerie
- acrylverf in ecrukleur
- acrylverf in goudkleur
- lak op acrylbasis
- donkerbruine boenwas
- schilderstape van 1 cm breed
- leuke (kleuren-)kopieën of servetten
- Chemage

*Eigenlijk onmisbaar, zo'n hoekje in huis. Met deze butlertray is een sfeerhoekje zo gemaakt. Op de butlertray liggen 'vers gebakken' cakejes en staat een oiriginele cookerie. De cookerie is een bak waar het recept dat je aan het maken bent bovenop ligt en binnenin eigenlijk de rest van de recepten hoort. Maar hij is ook uitermate geschikt als postdoos of 'rommelbak'.*

Werkwijze butlertray

Schuur het tafelblad mooi glad, verf het blad dekkend met de ecru verf. Laat het goed drogen, eventueel met de föhn. Plak de schilderstape op het blad (zie afb.) en verf de open ruimte van 1 cm breed tussen de schilderstape goudkleurig. Laat de gouden verf ook goed drogen en verwijder de schilderstape. Aflakken, liefst twee keer! Als de lak goed droog is, met een dikke kwast wat vegen boenwas erop aanbrengen en met een zachte doek uitwrijven. De boenwas zorgt voor het oude, verweerde effect.

### Werkwijze cookerie

Schuur de cookerie glad en verf hem dekkend met de ecru verf. Laat de verf goed drogen, eventueel föhnen. Gebruik servetten of een kleurenkopie voor de plaatjes op de cookerie. Hier heb ik kleurenkopieën gebruikt van een country kalender. Smeer de vlakken waar de afbeeldingen moeten komen, dun in met Chemage. Leg de plaatjes in de natte Chemage en wrijf ze met schone handen goed vast. Zet er een dun, tweede laagje Chemage overheen en laat het geheel goed drogen. Lak de hele cookerie af en wrijf de boenwas eroverheen (zie beschrijving butlertray).

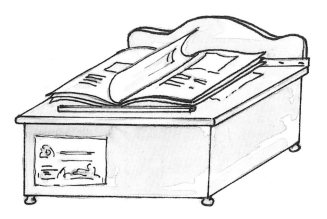

# Loden tasjes

*Zelf werk ik heel graag met lood. De rustige grijze kleur enerzijds en het soepele materiaal anderzijds zorgen ervoor dat je er bijzondere objecten mee kunt maken. Hier is 6 ponds lood gebruikt wat makkelijk met de hand te modelleren is. Voor deze twee fraaie damestasjes is al gauw een plaatsje te vinden.*

### Nodig
### twee tasjes

- 6-ponds lood
- wikkelklos zilverkleurig
- stukje dun kokostouw
- blok oasis-sec
- hortensiabollen
- koraalvaren
- blauwe distels
- hypericumbessen, donkerrood
- lijmpistool
- priem
- grijs voile lint, 0,5 m

### Werkwijze tasjes

Knip of snijd het lood uit volgens de patronen. om de delen aan elkaar te rijgen maak je gaatjes met een stevige priem. Priem het hoge tasje voor (zie afb.). De gaatjes hoeven niet groot te zijn, er hoeft alleen een ijzerdraadje door. Vouw voor het hoge tasje het lood in model, leg de kleine lapjes aan de zijkant ertussen, prik met de priem pas de gaatjes in het tussenstukje als het ijzerdraadje erdoor moet. Als je het vooraf priemt zitten de gaatjes nooit goed ten opzichte van elkaar. Naai met een stukje ijzerdraad en een stiksteekje de tussenstukjes tussen de zijkanten van het tasje. Het is een lastig en precies klusje, maar het resultaat mag er zijn.

Knip twee reepjes lood van 2 bij 20 cm. Knijp deze elk om een stukje touw en vouw de reepjes daarna in de vorm van een handvat (zie afb.). Lijm of naai de handvaten aan de binnenkant van de tas.

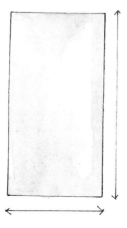

Knip van een restje lood twee reepjes van 0,2 mm bij 15 cm, draai deze op tot een knoop en plak ze voor op de tas (zie de foto.). Doe bovenin een half blok oasis-sec, laat het ± 2 cm boven de tas uitsteken.

Het tweede tasje is veel gemakkelijker.
Maak een handvat zoals op de vorige bladzijde is beschreven. Rol de lap lood op en lijm het handvat er bovenin vast. Lijm de tas nu bovenaan goed dicht. Priem twee gaatjes bovenin en haal het voile lint erdoor, maak hiervan een mooie strik. Snijd het halve blok oasis-sec dat over is van het eerste tasje doormidden en druk het voorzichtig in de open zijkanten, lijm het eventueel vast met het lijmpistool. Maak het kleine tasje op met kleine toefjes hortensia, kleine topjes eucalyptus, eventueel wat kleine distels en hypericumbesjes. Het grote tasje mag wat royaler worden opgemaakt met dezelfde groen- en bloemsoorten. Verwerk hier als laatste ook de koraalvaren in.

zij-stukjes hoge tasje

rol-tasje

- hoge glazen vaas
- metalen bol met 8 spijlen
- set van 35 kerstlampjes
- flinke hoeveelheid tillandsia
- loodkleurige kerstbal
- grijze voile strik
- kunstsneeuw
- kokosvezel in zilvergrijs
- wat hederablad en kerstgroen
- wikkelklos
- paar krammen
- pareltjes

# Spijlenbol met lichtjes

*Verstopte kerstlampjes geven altijd een bijzonder effect. In combinatie met kaarslicht is een mooi hoekje zo gemaakt. Het engeltje boven op de bol is een eigen creatie, gemaakt met Paverpol. Als ze wil, kan ze zo weg vliegen.*

### Werkwijze spijlenbol

Doe onder in de glazen vaas een laagje kunstsneeuw. Leg daarop wat kokosvezel in zilvergrijs en verstop er eventueel wat pareltjes tussen. Verdeel de kerstlampjes over de acht spijlen, vier per spijl, de resterende drie lampjes verwerk je onder in de bol.

Wikkel de lampjes vast met de wikkelklos en zorg dat alle lampjes dezelfde kant op wijzen. Let goed op dat het snoer onder aan de bol blijft. Wikkel er daarna losjes een flinke laag tillandsia omheen. Zet de bol boven op de vaas (de bol ligt los). Kram boven op de bol wat hederablad en kerstgroen, als 'bedje' voor de engel.

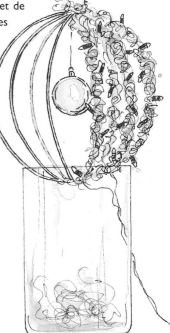

### Werkwijze engel

Draai van de wikkelklos – het draad is hier driedubbel gebruikt – een frame voor het lijfje van ± 15 cm lang (zie afb.). Omwikkel het lijfje met hooi of houtwol, trek met de wikkelklos het draad goed strak aan. Als de engel het gewenste figuur heeft, doop je de reepjes katoen in de Paverpol en omwikkel je het lijfje, de armen en de benen. Het hoofdje, de handjes en de voetjes omwikkel je niet met stof; wrijf hier met de vingers wel paverpol omheen; ze worden dan wel wit, maar je blijft de structuur van het hooi of de houtwol wel zien. Laat de engel goed drogen. Maak van kokosvezel een pruikje met een staart, zet het vast op het hoofdje met een beetje Paverpol. Als haarclip kun je wat parels gebruiken. Rijg aan een kant het lapje voile in op een stukje ijzerdraad van de wikkelklos. Bind het om als een cape. Lijm als laatste de vleugels op de rug van de engel.

# Laarzen, schaatsen en slofjes

*Alle benodigde soorten schoeisel om de koude wintermaanden door te komen! Laarzen om naar het ijs toe te gaan, schaatsen om heerlijk mee op het Hollandse ijs te vertoeven en natuurlijk een paar warme slofjes om aan de koude voeten te doen na afloop van een mooie schaatstocht, uiteraard onder het genot van een beker hete chocolademelk met slagroom.*

## Nodig Laarzen

- kinderlaarsjes, ± maat 26
- kippengaas, 50 cm
- platmos
- IJslands mos
- smal rood lint
- wikkelklos

## Werkwijze laarzen

Meet de laars vanaf de achterkant, onder de voet door, over de neus weer naar boven. Knip deze lengte, plus 10 cm gaas, bij een breedte van 50 cm. Dat kan dus per maat en soort laarsje verschillen! Knip vervolgens het gaas uit volgens de afbeelding. Vouw het gaas losjes om het laarsje, doe er platmos tussen en druk vervolgens het gaas stevig in model. Knip overtollige randjes gaas weg. Naai het gaas dicht met een stuk van de wikkelklos. Vouw het gaas dat boven het laarsje uitsteekt terug (naar de buitenkant) en doe hier het ijslands mos tussen. Werk de laarsjes af met een rood strikje.

## Nodig schaatsen

- kippengaas, 50 cm breed
- platmos
- spagnum
- beetje tillandsia
- dun reepje lood voor een
  veter of een echte veter
- restje lood, 12-ponds
  voor het ijzer
- wikkelklos

## Werkwijze schaatsen

De schaatsen kun je zo groot of klein maken als je zelf wilt. Knip een stukje kippengaas en vouw de schaats volgens de afbeelding. Vul de schoen van de schaats met spagnum, de lip van de schoen met platmos. Vouw de lip terug naar achteren en rijg er de veter door. Naai de schaats stevig vast met ijzer-draad en zet bovenlangs de schoen een randje tillandsia, voor het "geitenwollen sokken-effect". Knip van het zwaardere lood een ijzer en naai het vast onder de schoen.

## Nodig slofjes

- kippengaas, 50 cm breed
- platmos
- beetje tillandsia
- gedroogde rode rozen-
  blaadjes
- wikkelklos
- lijmpistool
- restje 6-ponds lood
- rood lintje

### Werkwijze slofjes

Ook de slofjes kun je maken in iedere gewenste maat. Knip het gaas uit volgens de afbeelding. De zool bestaat uit dubbel gaas, de bovenkant uit enkel gaas. Doe tussen de twee zool-delen een stuk platmos, naai het gaas op elkaar vast. Naai het teenstuk gelijk aan de voorkant mee. Werk de randen af met tillandsia en een stukje ijzerdraad. Plak met het lijmpistool het teenstuk vol met gedroogde rozenblaadjes. Maak wat blaadjes van een restje lood en maak met de blaadjes en een stukje lint de slofjes aan elkaar, klaar om op te hangen!

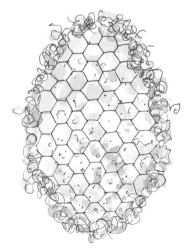

# Muziekstandaard

Als meisje van een jaar of tien ben ik dwarsfluit gaan spe-
len, en al speel ik niet meer zo goed en zo veel als vroeger,
toch pak ik de dwarsfluit nog regelmatig uit de kast. Toen
had ik nog niet zo'n mooie muziekstandaard, maar een
'gewone' die ook lager gezet kon worden, anders kon ik de
bladmuziek niet lezen. Deze muziekstandaard is prachtig en
al speel je geen muziekinstrument, hiervoor is vast een
plaats in huis te vinden.

### Werkwijze muziekstandaard

Week twee oasisblokken voor en laat ze heel goed
uitlekken. Zet ze rechtop in een boterhamzakje. Tape ze vast
op de kaarsenstandaard (zie afb.). Draai de steunen van de
kaarsenstandaard in de tillandsia. Vul vervolgens de blokken
oasis van beneden naar boven met groen- en bloemwerk.

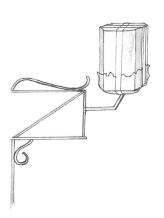

## Nodig muziek-
## standaard

- muziekstandaard met
  kandelaars
- twee boterhamzakjes
- twee blokken oasis
- watervaste tape voor
  oasis, of schilderstape
- twee lange ivoorkleurige
  kaarsen
- tillandsia
- staalgras
- fijne eucalyptus
- hederablad
- waxbes roze/rood
- blauwe staalbes
  (viburnum)
- twaalf ivoorkleurige
  rozen

Begin onderaan met het hederablad en wat lange ran-ken eucalyptusblad. Vul het aan met een bosje berengras. Boven de hedera komt een randje was-besjes, daarboven een rand tillandsia dat je met krammen stevig vastzet. Steek daarboven een dikke rand met staalbessen, boven de staalbes een rand eucalyptus-blad. Draai daarboven een toef berengras rondom het blok oasis, goed vastzetten met krammen. Nu zijn de distels aan de beurt. Daarboven weer een rand eucalyptusblad. Zet boven in de blokken oasis de kaarsen, net uit het midden in verband met de tape bovenop. Verdeel per blok zes ivoorkleurige rozen bovenop. Druk er wat draadjes tillandsia tussen.

Veel muziekplezier!

# Twee sierlijke bokalen

**Nodig**
**bokaal met loden rozen**

- wikkelklos
- lijmpistool
- frame bokaal of iets wat er op lijkt
- decoratie-pannenspons (hier loodkleurig)
- plastic zak
- twee blokken oasis
- twee tonkin stokken of grote satéprikkers
- spagnum
- grijze korstmos of tillandsia
- appelblad
- eucalyptusblad
- zes kleine kerstballetjes loodkleurig
- zes kleine kerstballetjes lila
- drie grotere glanzende lila ballen
- stukje 6-ponds lood
- stokjes
- spiraal in lila

*Het grote voordeel van een metalen frame is dat je er ieder seizoen iets ander mee kunt maken. Deze twee bokalen hebben op mijn side-table al vele seizoensveranderingen ondergaan. Nu staan ze te pronken voor de naderende feestdagen.*

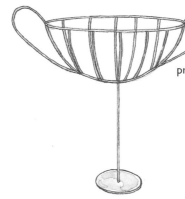

*En Romy, mijn golden retrieverpupje, slaapt, ongevoelig voor al dit moois, rustig door.*

### Werkwijze bokalen

Het mooie van deze bokalen zit hem in het open frame. Hier hebben we een decoratie pannenspons opengeknipt en met een paar kleine stukjes ijzerdraad in de bokaal vastgenaaid. Naai langs de bovenrand van de bokaal een rand korstmos of tillandsia. Vul daarna de bokaal luchtig met spagnum tot aan de bovenrand. Doe de twee voorgeweekte blokken oasis in een plastic zak (lange kanten op elkaar) en verbind ze onderling met de twee stokjes. Goed schuin steken en niet te hard prikken, anders is de zak lek.

Doe de zak met de oasis in de bokaal en zorg ervoor dat er voldoende spagnum omheen zit zodat je de zak niet ziet. De oasis moet ongeveer 8 cm boven de rand uitkomen. Als eerste worden de bokalen nu volgestoken met allerlei groenmateriaal. Steek de oasis vol met korte toppen eucalyptus en appelblad. Zorg dat er geen oasis meer zichtbaar is. Verdeel de drie grote en twaalf kleine balletjes over het groen, werk de bokaal af met wat lila spiraal.

Maak als laatste de loden rozen. Knip twaalf blaadjes uit het lood voor een roos (zie patroon). Plak een klein stukje lood boven aan het stokje, plak vervolgens vier blaadjes dakpansgewijs om het stokje. Buig de blaadjes voorzichtig een stukje open. Plak op precies dezelfde hoogte weer vier blaadjes, dakpansgewijs en weer voorzichtig openvouwen. Met de laatste vier blaadjes doe je precies hetzelfde. In deze bokaal zijn vijf loden roosjes verwerkt.

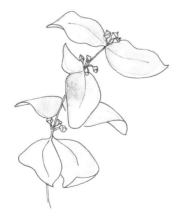

# Krans en windlicht met lood

*Niets is heerlijker dan een mooi gedekte tafel, voor-
al met Kerstmis. Veel kaarsjes, groen, ballen en glitters.
Op deze kerstdis liggen drie gelijke kransen op
grote zinken onderborden. En natuurlijk mogen
kaarsen op tafel niet ontbreken. In het midden van deze dis het kaarslicht, verpakt in een
windlichtje met een bijzondere loodafwerking.*

**Werkwijze krans en windlicht met lood**

Leg de strokrans op het zinken bord en kram de krans rondom
in het platmos. Kram vervolgens veel korte toefjes van de drie
genoemde groensoorten kris-kras op de krans.
Verdeel de kleine kerstballetjes over de krans en
werk de krans af met wat grijze korstmos of tillandsia. Leg een doormidden gesneden rondje
oasis in het midden, anders zakt het windlichtje
erg diep weg in de krans. Knip van 2 cm breed
lood een reepje ter grootte van de omtrek van
het windlichtje, plus een overlap van 3 cm.

Vouw dit bovenaan om de boven rand van het windlichtje heen. Knip de twee hederablaadjes uit volgens het patroon. Maak bovenin met de priem een klein gaatje. Knip een heel dun reepje lood, ± 10 cm lang, haal dit door de gaatjes in de hederablaadjes en klem het onder het randje lood dat om het windlichtje zit vast. Maak van de twee dunne uiteinden die dan overblijven een strikje voor de sier. Knip een rondje lood uit voor onder in het windlichtje, dan is de oasis daaronder niet meer zichtbaar. Zet er een waxinelichtje in en steek dat gezellig aan.

## Nodig lantaarn

- frame lantaarn
- rol vlechtlood van 1 cm breed
- twee oasisprikkers
- 2 rondjes oasis
- glazen windlicht en/of dikke kaars
- conifeer
- nobilisk
- eucalyptus
- 5 ivoorkleurige rozen
- staalbes (viburnum)
- waxbes

# Met lood inge-vlochten lantaarn

*Van mooie grote lantaarns kun je er eigenlijk nooit genoeg hebben. In huis, buiten in de tuin of als welkom bij de voordeur, overal komen ze van pas. Deze lantaarn is wel heel bijzonder. Het metalen frame wordt inge-vlochten met vlechtlood van één cm breed. In het mid-den komt een dikke kaars of een glazen windlicht.*

### Werkwijze lantaarn

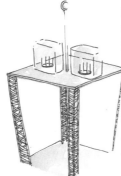

Vlecht de lantaarn in met het vlechtlood volgens de afbeelding. Plak boven op de lantaarn de twee prikkers, ongeveer 3 cm naast de ophangstaaf. Druk de twee voorgeweekte oasis rond-jes op de prikkers. Steek de lantaarn vervolgens royaal op met groen. Gebruik aan twee zijkanten wat langer groen, zodat het bloemwerk een beetje de vorm van een banaan krijgt. Verwerk de conifeer, nobilisk en eucalyptus goed door elkaar heen en zorg dat er geen oasis meer te zien is.
Verdeel de vijf ivoorkleurige rozen over het bloemwerk. Zet vervolgens de staalbes ertussen en werk het geheel af met wat toefjes waxbes.

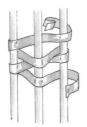

## Nodig loden punt

- frame loden punt
- lood, 6-ponds
  60 bij 65 cm
- reep lood 2 bij 65 cm
- stukje kippengaas
- wikkelklos
- 2 blokken oasis
- plastic zak
- lijmpistool
- koraalvaren, 5 takjes
- eucalyptus
- sedum roze/rood
- hortensiabollen
- hedera met bes
- blauwe distels
- juffertje in het groen
- 2 tonkinstokjes of satéprikkers
- grijze voile lint
- zilver/grijs kokoshaar

# Loden punt met dennenappel

Een echte blikvanger is deze loden punt. Met zijn ruim 60 cm hoge frame en de dennenappel aan de onderzijde is het niet iets wat je overal tegenkomt. Het hele frame is ingepakt in één stuk 6 ponds lood. Vooral als lood buiten hangt krijgt het al snel die prachtige verweerde uitstraling. Binnen kun je dit ook bereiken door het lood in te wrijven met wat water en azijn of karnemelk.

### Werkwijze loden punt

Knip een stukje gaas uit dat in het frame past als steunbodem voor de oasis en naai het rondom vast met de wikkelklos. Knip of snijd het lood uit, zodanig dat het overal om het frame past, neem overal 3 cm extra voor het omvouwen om het frame. Vouw het lood goed strak om het frame. Knip een reep lood van 2 cm uit die om het frame heen past. Door het gaas en het frame zie je een lelijke afdruk in de grote lap lood, plak hier de reep lood precies overheen. Leg de twee voorgeweekte blokken oasis met de lange kanten op elkaar in de plastic zak. Verbind de twee blokken met stokjes aan elkaar. Schuin prikken en niet te hard, want anders is de zak lek! Steek eerst de oasis royaal vol met hedera en eucalyptus. Verdeel dan de hortensia, distels, serum en juffertjes in het groen over de oasis. Werk het geheel als laatste af met de takjes koraalvaren. Een voile grijze strik en wat kokoshaar in grijs/zilver zorgt voor de finishing touch.

# Oude fiets

- frame van de vélocopéde of een oude fiets
- spagnum
- platmos
- salim
- wat berkentakken
- curly hair bruin
- wikkelklos
- stukje kippengaas
- hederaplantje
- gaultheriaplantje

*Zo'n oude fiets in de tuin doet het altijd goed. De frames van deze modellen zijn te koop, je kunt natuurlijk ook een oude (kinder-)fiets nemen. Het is een paar uurtjes wikkelen, maar het eindresultaat mag er zeker zijn! Met de fietsmand gevuld met wat planten staat hij klaar om zo op weg te fietsen.*

### Werkwijze oude fiets

Omwikkel het hele frame met platmos met behulp van wikkeldraad. Het zelfde doe je met de spaken maar dan met spagnum, maak de banden van salim. Knip voor het zadel twee rondjes kippengaas, ertussen komt het curly hair bruin. Naai de twee delen op elkaar en daarna vast op het frame, want zo'n zadel geeft vast zadelpijn. Bekleed het stuur met berkentakjes.

Vouw van een stukje kippengaas van 20 bij 50 cm een fiets-mandje. Naai dit goed vast aan het stuur. Vul het mandje met spagnum en zet er een paar gezellige plantjes in.

Veel fietsplezier!

## Nodig
## kerstvoordeur-
## decoratie

- onderstel tafel of oud tafeltje
- lap 6 ponds lood van 1 bij 1 m
- domus schaal ø 50 cm
- strokrans ø 50 cm
- strokrans ø 30 cm
- wikkelklos
- krammen
- platmos
- spagnum
- 4 gaultheriaplanten
- lantaarn
- 4 grote en 4 kleine witte veren vleugels
- kokoshaar goudkleur
- ijzerdraad goudkleur
- grote parels
- wat groen, hedera en eucalyptus
- 3 rode rozen
- 2 takjes waxbes
- 2 takjes koraalvaren

# Kerstvoordeur-
# decoratie

*Een sfeervol hoekje bij de voordeur staat altijd bijzonder gastvrij. Maar de periode rondom kerst leent zich hier helemaal uitstekend voor. Een verlengstukje van de warmte en gezelligheid uit huis verplaatsten we naar buiten. Gebruik voor zo'n hoekje altijd een mooie lantaarn met kaarslicht!*

## Werkwijze kerstvoordeurdecoratie

Als onderstel voor het tafeltje is hier gebruikgemaakt van het vogelpoel onderstel uit mijn eerste boekje. Een oud tafeltje kun je op dezelfde manier veranderen in een loden tafel. In de ring van het tafeltje hang je een domus-plantenschaal van 50 cm ø. Daaroverheen vouw je als een tafelkleed een lap 6 ponds lood van 1 bij 1 m. Op het tafeltje ligt een strokrans van 50 cm. De krans is rondom in de platmos gekramd.

Midden in de krans staat een mooie oude lantaarn. De ruimte tussen de krans en de lantaarn is opgevuld met spagnum, zet daarin de gaultheriaplantjes. Aan de buitenkant van de krans zitten vier witte veren vleugels vastgekramd.

Verdeel over de krans ook de vier kleine veren vleugels. Van goudkleurig ijzerdraad maak je veren door een stuk draad strak over een potlood te wikkelen (zie afb.). Aan het einde van de veren komen de parels. Kram de veren met de parels in de krans, werk het geheel af met goudkleurig kokoshaar. De hangende krans is gemaakt van een strokrans van 30 cm ø. Kram de krans rondom in de platmos. Zet onderaan een witte veren vleugel vast. Net boven de vleugel is wat bloemwerk gekramd, een paar rode rozenknoppen, wat hederablad, eucalyptus en waxbes. Kram er als laatste wat koraalvaren tussen. Maak de veren zoals hierboven beschreven en kram ze in de krans, werk het geheel af met het kokoshaar.

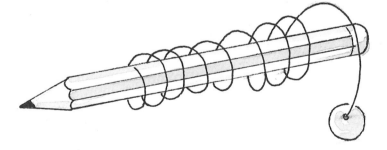

# Kerstberen

*Traditiegetrouw horen beren voor mij bij kerst. Van die heerlijke sukkels met hun schuine rode kerstmutsen op. Deze set doet bij ons thuis al heel wat jaartjes trouwe dienst. De donkerblauwe kleur geeft het geheel een hele warme uitstraling. De pot staat op het tafeltje met het loden tafelkleed zoals in het vorige hoofdstuk is beschreven. In of om ieder huis is voor zo'n set wel een plekje te vinden.*

## Nodig kerstberen

- terracotta pot
- houten paneeltje
- donkerblauwe acrylverf
- acryl lak
- tube witte rubberverf
  (Slixsticks of Scribbles)
- servet kerstbeer (Ihr)
- beetje kunstsneeuw

### eventueel:
- hederaplanten
- boompje van
  dennenappels
- stukje bolmos
- klein lantaarntje
- grote dennenappel

### Werkwijze kerstberen

Schilder een terracotta pot (de maat kun je aanpassen aan het plekje dat je in gedachten hebt) heel donkerblauw. Schilder het paneeltje in dezelfde kleur. Knip de kerstbeer uit het servet en splits het servet goed (twee lagen erachter weghalen). Leg het servet op de pot en op het paneel. Teken met een zacht potlood de contouren van het geknipte servet over op de pot en het paneel. Schilder de beer die nu op de pot en het paneel staat wit. Je ziet nu dus een witte beer in het blauw staan. Wanneer je het servet direct op het donkerblauw zou plakken, zou er van de print niets overblijven. Als je het geheel namelijk aflakt komt de blauwe kleur door het servet heen.

Plak met Chemage het uitgeknipte servet precies op de witte geschilderde beer. Laat het geheel goed drogen en lak het vervolgens af. Als de lak goed droog is kun je met de tube rubberverf de kraag van het jasje en de rand en pompoen van de muts dik aanzetten. Doe dit door veel 'stippeltjes' witte rubberverf tegen elkaar aan te drukken, er ontstaat dan vanzelf een wit bontje. Maak de sneeuwvlokjes met dezelfde tube. Op de pot staat een kant en klaar gekocht kerstboompje van dennenappels, afgewerkt met wat hederaplanten. Linksboven op de foto staat een paneeltje afgebeeld.

Het vierkante vlak is op dezelfde wijze opgemaakt als de terracotta pot. De kopse kant van de randen zijn ook wit gemaakt met de rubber verf. Op het vlakke plateau van het paneeltje staat een piepklein lantaarntje, een grote dennenappel en een stukje bolmos. Werk het geheel af met wat kunstsneeuw.

## Nodig obelisk met lantaarn

- frame obelisk
- lantaarn (Ikea)
- strokrans 40 cm ø
- eucalyptus
- nobilisk
- conifeer
- platmos
- krammen
- korstmos
- kleine dennenappels
- lijmpistool
- wikkelklos

# Obelisk met lantaarn

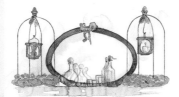

*Een set van twee, dat is toch vaak wel heel erg mooi. Neem nou deze twee obelisken, doordat ze met zijn tweeën zijn versterken ze elkaar. Nu staan ze opgestoken met kerstgroen te stralen. Na kerst simpel het kerstgroen verwijderen, de platmos blijft zitten en de krans is klaar om op te steken voor het volgende seizoen. Denk eens aan een paaskrans met hooi, kievietseitjes, blauwe druifjes en wat veren.*

### Werkwijze obelisk

Naai het frame van de obelisk met wikkel-draad vast op de stokrans. Steek de krans met behulp van krammen helemaal vol met platmos. Werk hierbij ook over het frame van de obelisk heen. Kram nu kleine toefjes conifeer, eucalyptus en nobilisk op de mos-krans. Hier en daar mag nog best wat mos zichtbaar zijn. Lijm met het lijmpistool de dennenappels en het korstmos tussen het groen. Hang de lan-taarn aan de haak boven in de obelisk. Ter versiering zijn bovenaan bij de haak wat dennenappels en wat korstmos zijn met het lijmpistool vast geplakt.

## Nodig Rudolf, eend en gans

- frame Rudolf
- frame welkomstbord eend
- frame gaas gans
- platmos
- spagnum
- wikkelklos
- hooi
- wilgentenen
- berkentakken
- mesje
- donkerrood lint
- dennenappels
- donkerrode rubber stift (slixstix of scribbles)

# Rudolf en zijn welkomstbord

*De binnenboel versierd, de buitenboel ook versierd. Buiten hebben we er een 'beestenbende' van gemaakt. Rudolf het rendier als trouwe wachter naast het huis, de eend die ons welkom heet en de grote gans, die beslist niet de pan in gaat met kerst. Het mos waar alle dieren van gemaakt zijn blijft buiten in de winter heel mooi groen. Na kerst ruimen we het 'donker' op om alles volgend jaar net zo mooi weer te voorschijn te halen.*

### Werkwijze Rudolf

Rudolf is gemaakt van een kant en klaar gekocht frame. Om zijn lijf wordt eerst een model van hooi gewikkeld, als het goed van model is wordt Rudolf ingepakt met huishoudfolie, om het hooi tegen al te veel nattigheid te beschermen. Daarna wordt Rudolf met platmos ingepakt. Wikkel het mos rondom stevig vast. Zijn pootjes worden omwikkeld met wilgentenen en zijn gewei wordt gemaakt van mooie berkentakken. Geef hem een mooie donkerrode strik om en werk de strik af met wat dennenappels.

Welcome

Ik ben in de tuin

## Werkwijze eend

Het frame van de eend bestaat uit een mooie muurhaak met daaraan een grote ovale ring, waar onderin een stukje metaal is gelast. Er onderaan hangt het naambordje (zie afb.).

Buig het kleine halfronde stukje metaal onder in de ring grof in de vorm van een eend. Snijd met een mesje van een stukje (berken)tak een scherp snaveltje. Zet het snaveltje met wikkelklos vast aan het metaal. Pak vervolgens een flinke hand spagnum en vouw dit om het metaal. Wikkel heel strak en vorm met draad, handen en spagnum net zolang tot het model van de eend goed is. Wikkel vervolgens een laag platmos om de hele eend. Geef de eend een mooie donkerrode strik om. Hang boven aan de ovale ring een beetje kerstgroen, wat dennenappels en een donkerrode strik. Op het naambordje staat met een donkerrode rubberstift 'welkom' geschreven. Op de achterzijde, hier onzichtbaar staat 'tot ziens'.

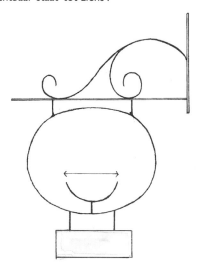

## Werkwijze gans

De gans is gemaakt van een frame van kippengaas, zo kant en klaar gekocht bij het tuincentrum. De gans is gevuld met spagnum, om te zorgen dat hij een beetje gewicht in zijn kontje heeft, anders valt hij bij de eerste de beste windvlaag om. Daarna is de hele gans in de platmos gewikkeld. Om zijn nek heeft hij een mooie donkerrode strik.

Rick van Eijk

ISBN 90-384-1460 9

Herma Sinnema

ISBN 90-521-825-7

Olga Dol

ISBN 90-521-824-9

Rick van Eijk

ISBN 90-521-767-6

Olga Dol

ISBN 90-213 3122 5

Adrie Prins

ISBN 90-384-1495 1

Olga Dol

ISBN 90 384-1419-6

Gert Jan Verhoog

ISBN 900 384 1533 8

Olga Dol

ISBN 90-521-734-X

Olga Dol

ISBN 90-384-1459-5

Olga Dol

ISBN 90-521-769-2

Olga Dol

ISBN 90-384-1551-6